KWO

Kwong Kuen Shan,   ⌐, ⌐⌐ une
peintre et écrivain chin   ⌐. ⌐⌐e est l'auteur du *Chat
philosophe* (L'Archipel, 2008 ; Pocket, 2012) et du
Chat zen (L'Archipel, 2010 ; Pocket, 2011). Elle vit
actuellement au Pays de Galles.

**Retrouvez l'actualité de Kwong Kuen Shan sur
http://kwongkuenshan.net/**

KWONG KUEN SHAN

LE CHAT PHILOSOPHE

traduit de l'anglais par Colette Joyeux

l'Archipel

Titre original :
The Philosopher Cat
par William Heinemann, Londres, 2004.

ISBN 978-2-266-22209-9

INTRODUCTION

Depuis la publication de mon précédent ouvrage, *Le Chat zen*, une part importante de mon activité de peintre est consacrée aux chats.

Mes deux chats Healey et Joseph sont devenus de véritables partenaires de travail, ainsi qu'une source inépuisable d'inspiration et d'idées.

Je les regarde, je les observe. Ils m'observent et sont attentifs à ma présence.

Il fut un temps où j'avais peur des chats et où je les évitais à tout prix. Joseph et Healey m'ont donné accès à leur univers, qui est unique. J'ai appris pas mal de choses sur les chats depuis cette époque de phobie !

Ils vont et viennent à leur guise. Quand ils sortent, j'ignore où ils vont et ce qu'ils font au juste. Ils ne racontent jamais rien à leur retour, jamais ils ne me font partager leurs secrets, mais j'ai appris à leur faire confiance. Ils n'obéissent pas, mais ils ne désobéissent pas non plus. Ils finissent toujours par rentrer à la maison et sont toujours dans les parages.

Leur ronronnement tonitruant, leur queue en l'air, leurs gros yeux ronds et leurs longues moustaches ont à mes yeux un charme persuasif. Je cède toujours à leurs exigences.

Les chats, d'après ce que j'ai constaté, sont leurs propres maîtres et ont leurs propres règles. Ils ne possèdent rien, mais ne doivent rien à personne. L'observation de leur langage gestuel fait mes délices. Un instant on les voit assis là, immobiles, le regard vague, à méditer ou à somnoler – image même de la sérénité et de l'élégance ; l'instant d'après, ils sont sur le qui-vive ; flairant, tendant l'oreille, ils avancent à pas feutrés, puis bondissent sur leur proie. Ils agissent en toute circonstance en athlètes au style fascinant. Je peux passer des heures à les observer.

Les chats ne s'occupent que de leurs propres affaires. Ils vivent dans l'instant, réagissent à ce qui se passe sur le moment même, sans le moindre souci des événements à venir. Ils n'ont pas de projets, pas d'ambitions, pas de fantasmes ou de peurs imaginaires. Je trouve admirables et rafraîchissantes certaines de ces qualités. Les regarder, c'est comme lire un livre captivant que je n'arrive plus à lâcher. À la différence près que les principaux personnages de ce livre-là partagent effectivement ma vie…

Dès que vous êtes « branché chats », tous vos cadeaux d'anniversaire et de Noël tournent autour d'histoires de moustaches et de griffes. Vous rencontrez des chats en personne, dont certains sont drôles, d'autres sérieux, d'autres timides, d'autres féroces, jamais humbles, mais tous beaux, chacun à sa façon.

J'ai donc mis à profit ma nouvelle source d'inspiration et d'enrichissement, et j'ai continué à peindre des chats.

Au bout de plusieurs centaines d'esquisses, j'ai peaufiné pour Le Chat philosophe quarante aquarelles, que j'ai accompagnées d'une sélection de citations de classiques chinois ainsi que de maximes, de poèmes de la dynastie Tang ou d'enseignements de la tradition zen. La majorité des citations sont attribuées à d'anciens maîtres et philosophes, principalement Confucius, Mencius, Lao tseu et Tchong Tseu.

Les enseignements de ces maîtres ont été dûment notés, préservés, transmis de génération en génération, et ont contribué à façonner la conduite et la morale des Chinois pendant des siècles. Ces enseignements ne sont pas des doctrines ou des règles. Ils sont des modèles de sagesse et de vérité sur l'existence et la façon de la vivre. Ils montrent le chemin à ceux qui sont en quête de vérité, de paix et d'harmonie dans leur vie quotidienne. Ils sont intemporels et transcendent toutes les frontières raciales, religieuses ou géographiques. Ils sont porteurs de vérité et d'authenticité pour tous, en tout temps et en tout lieu.

En préparant la publication de ce livre, j'ai passé de nombreuses heures solitaires à relire des volumes entiers de littérature et de philosophie chinoises. Lorsque j'étudiais le chinois classique à Hong Kong, je dus mémoriser pas mal de citations. Mon professeur me disait : « Vous en comprendrez peut-être la sagesse un beau jour ! » Ce « beau jour » est venu des années plus tard, alors que je vivais et travaillais à l'étranger. Hier, je les analysais avec des yeux d'étudiante. Aujourd'hui, je les lis avec des yeux d'adulte confrontée aux responsabilités et aux désirs de sa vie présente. J'interprète les textes avec un regard neuf !

Le choix des textes présentés dans cet ouvrage se fonde sur mes goûts personnels et sur leur interaction avec mes aquarelles.

J'espère que ce livre vous plaira, et que vous puiserez quelques pensées réconfortantes dans cette source de sagesse éternelle de la Chine ancienne.

Kwong Kuen Shan
2004

1. LE CALENDRIER CHINOIS

À l'aube des temps, le Bouddha tint une audience solennelle à laquelle il invita toutes les créatures de la terre.

Le jour venu, seuls douze animaux répondirent à l'appel. Pour preuve de sa générosité et en remerciement de leur courtoisie, le Bouddha consacra à chacun d'entre eux une année de son temps, en fonction de leur ordre d'arrivée ce jour-là. Les invités présents étaient le rat, le bœuf, le tigre, le lapin, le dragon, le serpent, le cheval, la chèvre, le singe, le coq, le chien et le cochon. Ils sont à l'origine des douze signes du zodiaque du calendrier chinois. Chaque animal est ainsi le symbole de l'année à laquelle il a donné son nom. Et, en fonction de votre année de naissance, vous partagez les traits de caractère et le mode de comportement de l'animal symbole de votre signe.

Le chat, lui, ne répondit pas à l'appel. Il passa sa journée à dormir.

J'agis à ma guise, hors des conventions
Et ma vie sans maître est libre et tranquille.

Caractères chinois : « Les chats sont tellement drôles! »
Timbre carré : Kwong Kuen Shan | Timbre ovale : Le Ciel et la Terre

2. SIX CHATONS

Le rat dit : je suis un séducteur et un très beau parleur.

Le bœuf dit : je suis fiable entre tous, on peut compter sur moi.

Le tigre dit : moi, j'éblouis les gens, j'ai l'étoffe d'un chef.

Le lapin dit : je suis plein de bonté, d'attention pour autrui, et la chance toujours me sourit.

Le dragon dit : je suis indépendant et admiré de tous.

Le serpent dit : et moi, je suis tout simplement irrésistible.

Le chat... mais le chat miaule !

Si quelqu'un plaît à la majorité, il faut se demander pourquoi.

Si quelqu'un déplaît à la majorité, il faut se demander pourquoi.

Caractères chinois : « Bœuf, Lapin, Serpent, Rat, Tigre, Dragon »
Timbre carré : Kwong Kuen Shan | Timbre ovale : « Suis ton destin » | Petit timbre : Bénédiction

3 · QUATRE CHATONS

Le cheval dit : je suis un optimiste qu'on aime fréquenter.
La chèvre dit : je suis plutôt artiste et j'aime la beauté.
Le singe dit : je suis plein de détermination et de courage.
Le coq dit : je suis honnête et sûr de moi, mais laissez-moi
    tranquille !
Quant au chat, il ronronne.

Celui qui ne cherche ni à tromper, ni à mentir, ni à être mal-
honnête envers ses semblables, mais qui les connaît au premier
regard, est un homme sage.

CONFUCIUS

Caractères chinois : « Le coq, le singe, la chèvre, le cheval »
Timbre carré : Kwong Kuen Shan | Timbre ovale : Le Ciel et la Terre | Petit timbre rectangulaire : La Voie

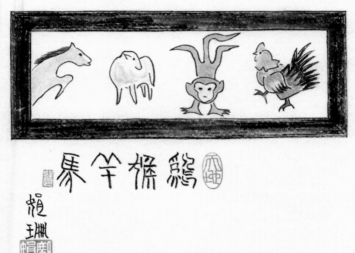

馬羊猴雞

4. DEUX CHATONS

Le chien dit : je suis honnête, responsable et loyal en amitié.
Le cochon dit : je suis ambitieux, travailleur, et tout me réussit !
Le chat lance des « tssss » de dédain…

Tout dans l'univers a sa raison d'être.
Ne te compare jamais à quiconque.
Ne te sous-estime pas.
Ne te surestime pas.

CONFUCIUS

Caractères chinois : « Le chien, le cochon »
Timbre carré : Kwong Kuen Shan | Timbre ovale : Dessin de l'auteur

犬貓

趙珊

5. L'HÔTE DE CES LIEUX

Réussite et renommée sont comme rosée du matin.
Richesse et honneur ne sont que nuées passagères.
La vie n'est qu'un rêve que nous traversons tous.
On ne se sent chez soi que là où nous attendent
Paix et réconfort.

POÈME CHINOIS

6. LE CHRYSANTHÈME

Chaque année revoit l'éclosion des fleurs.
Mais jeunesse enfuie jamais ne revient.

PROVERBE CHINOIS

Timbre carré : Kwong Kuen Shan | Timbre rond : La vision lucide | Petit timbre rectangulaire : La Voie

7. À L'ABRI DE LA PLUIE

Le vent ne souffle pas la matinée entière.
L'averse ne dure pas tout le long du jour.
Les caprices du temps ne sont pas éternels.
L'homme non plus.

TAO-TÖ-KING

8. NOTRE DOUX TRIO

Les hommes peuvent apprendre ensemble mais suivre des chemins divers,

Suivre une même voie mais atteindre des statuts divers,

Être solidaires mais avoir des aspirations et des jugements divers.

Caractères chinois : « Sois calme comme une eau tranquille et viendront la vision lucide et la compréhension »
Timbre carré : Kwong Kuen Shan | Timbre ovale : Dessin de l'auteur | Timbre rond : Le destin tracé d'avance

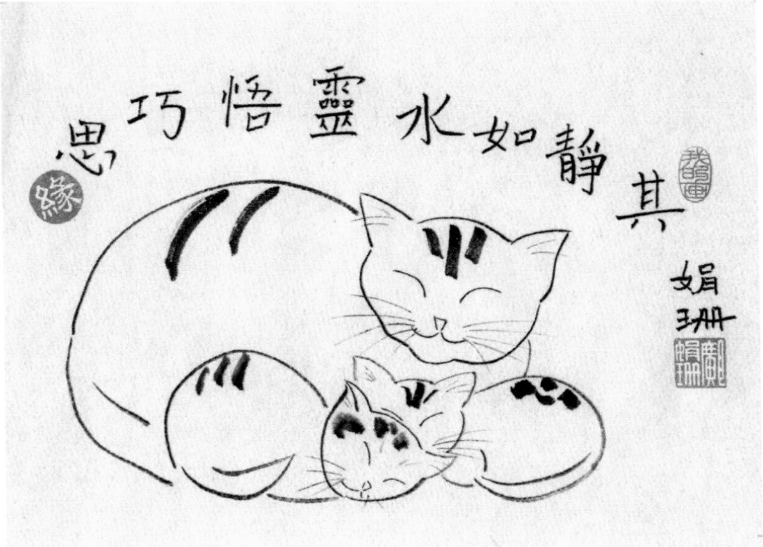
其靜如水靈悟巧思
娟珊

9. LA FIGURINE CHINOISE

Nous nous croisions souvent à la cour impériale,
Où tu as tant de fois chanté par le passé.
Nous adorons tous deux le même paysage,
Sur la rive du fleuve qui regarde le sud.
Mais à présent que les fleurs fanent vite,
Voici que nous nous retrouvons !

LA RENCONTRE, DU FU (DYNASTIE TANG)

Caractères chinois : « Qui donc en ce monde pourrait ignorer qui vous êtes ! »
Timbre carré : Kwong Kuen Shan | Petit timbre carré : La lune se reflétant dans l'eau

天下谁人
不识君

娟珊

10. MA DESSERTE CHINOISE

Si le destin souhaite votre rencontre,
Vous vous retrouverez.
Fussiez-vous séparés par des milliers de lieues.
Mais si le destin s'oppose à la rencontre,
Vous aurez beau être là, face à face,
Vous resterez étrangers l'un à l'autre.

PROVERBE CHINOIS

Caractères chinois : « Le destin tracé d'avance »
Timbre carré : Kwong Kuen Shan | Timbre ovale : Le Ciel et la Terre

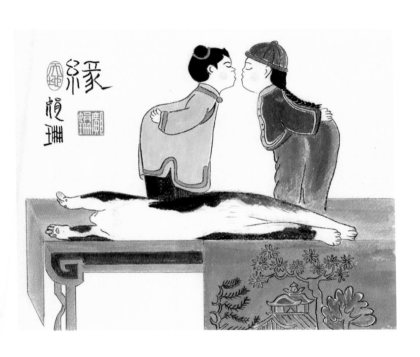

II. LE GARDE IMPÉRIAL

Ce soir où le bon vin rougit au creux des verres étincelants,
Je bois à la musique de Pipa.
Le clairon sonne et m'appelle au combat.
Si vous me trouvez ivre sur le champ de bataille,
Ne riez pas, ne vous moquez pas, mon ami.
Combien par le passé y a-t-il de guerriers
Qui soient revenus du front sains et saufs ?

SUR LE CHAMP DE BATAILLE, WANG HAU (DYNASTIE TANG)

12. CE BON VIEUX POST

Je fuis celui qui est prêt à combattre un tigre à mains nues,
Ou à traverser à pied une rivière,
Disposé à affronter la mort sans regrets.
Je lui préfère la compagnie des gens prudents,
Qui planifient leurs actes afin d'aboutir
Au résultat voulu.

CONFUCIUS

沉默

賴珊

13. TECHNOCHAT

Au travail, donne-toi à cent pour cent.
Au jeu, donne-toi à cent pour cent.
Lorsque tu travailles, ne rêve pas de jeu.
Et lorsque tu joues, oublie le travail.
C'est ainsi que l'on tire le meilleur parti et du travail et du jeu.

Timbre carré : Kwong Kuen Shan | Timbre ovale : Le Ciel et la Terre | Petit timbre carré : Formule de bénédiction

14. LES ORCHIDÉES

L'année est longue, les gens affairés l'abrègent.
Le monde est vaste, les esprits mesquins le rétrécissent.
La nature regorge de splendeurs
Qui échappent aux yeux des guerriers.
Ils passent à côté de leur beauté
Et de tant d'autres choses encore !

Timbre carré : Kwong Kuen Shan

15. FIN DE COURSE

Le monde entier m'encense ?
Je ne ferai plus d'efforts.
Le monde entier me dénigre ?
Je ne me laisserai pas abattre.

TCHONG TSEU

超群

魏珊

16. Pensée d'été

Aux heures de solitude, je dialogue avec de vieux sages, de vieux maîtres, à travers les pages de mes mille livres.

Aux heures de loisir, je parcours mon jardin d'arbres et de fleurs pour jouir de la compagnie de la nature.

POÈME CHINOIS

Timbre carré : Kwong Kuen Shan

17. SONGES D'ÉTÉ

Celui qui comprend le sens de la vie n'est pas en quête de choses insensées.
Celui qui comprend le destin n'est pas en quête de choses qui dépassent son entendement.

TCHONG TSEU

18. COCO ET LILY

Celui qui se croit sot est loin d'être le plus sot.
Celui qui se croit confus est loin de l'être le plus.
L'esprit vraiment confus ne comprend jamais rien.
Le véritable sot n'atteint jamais la sagesse.

TCHONG TSEU

19. LE COLLECTIONNEUR

Notoriété et richesse ne durent pas toujours,
Elles viennent par hasard et demeurent un temps.
Accepte-les quand elles viennent,
Ne les retiens pas quand elles s'en vont.

TCHONG TSEU

20. LES CHATS MANDARINS

Quand vous arrivez quelque part,
Suivez la tradition locale.
Observez les us et coutumes
Que pratiquent les gens du lieu.

TCHONG TSEU

Timbre carré : Kwong Kuen Shan | Timbre rectangulaire : « Le pinceau exprime mes sentiments »

21. LE GOÛT DU LOISIR

L'être dénué d'attention
Regarde sans voir,
Écoute sans entendre,
Mange sans savourer.
L'esprit se doit d'aiguiser les sens
Pour qu'un tel étourdi puisse se concentrer.

LES GRANDS ENSEIGNEMENTS

Caractères chinois : «Les moments de loisir sont source de joie»
Timbre carré : Kwong Kuen Shan | Timbre ovale : «Qu'il soit fait selon mon cœur» | Timbre rond : «Il ne faut rien regretter»

22. VIEILLIR AVEC GRÂCE

À 15 ans j'ai décidé d'étudier.
À 30 ans j'ai trouvé mon équilibre.
À 40 ans, j'ai acquis la vision lucide.
À 50 ans, j'ai compris la volonté de Dieu.
À 60 ans, j'ai entendu et accueilli la vérité.
À 70 ans, j'ai suivi mon cœur,
Sans outrepasser les bornes.

CONFUCIUS

23. XENA

L'eau réjouit l'homme sage.
Comme une eau vive, il est actif et va de l'avant.
La montagne réjouit l'homme vertueux.
Comme elle, il est solide et calme.
Le sage recherche la joie et la connaissance ;
Le vertueux, la tranquillité et une longue vie.

CONFUCIUS

24. LA LEÇON

Ce qui plaît au chef
Plaît encore plus à ses subordonnés.
C'est comme l'herbe et le vent.
Quand le vent souffle, l'herbe ploie.

MENCIUS

25. L'INSTINCT

Quitter la course quand tu as atteint ton but,
C'est suivre la loi de la nature.

LAO TSEU

26. HERMAN ET SON CHÂTEAU

Les poissons nagent librement dans la mer,
Insoucieux de l'eau.
Les oiseaux volent librement dans le ciel,
Inconscients de l'espace.
Les hommes vivent librement dans le monde
Mais ils s'encombrent de fardeaux et de soucis.
Quand tu auras saisi le véritable sens de la liberté,
Tu monteras bien plus haut que tous, hommes, poissons et
    oiseaux confondus,
Dans la pleine jouissance des lois de la nature.

TCHONG TSEU

27. LE DÉSIR

Ne te hâte point pour mener à bien une tâche.
Ne sois pas avide de profits mesquins.
Précipite-toi, et ta tâche sera mal exécutée.
La quête avide de bénéfices mineurs
Empêche tout accomplissement majeur.

CONFUCIUS

Timbre carré : Kwong Kuen Shan

28. JEUNES ATHLÈTES

Sur la pointe des pieds, tu ne tiendras pas debout
très longtemps.
En avançant par bonds, tu n'iras jamais bien loin.

LAO TSEU

29. ACUITÉ DE VISION

L'œil est ce que le corps de l'homme a de plus sincère.
Le regard ne saurait cacher les mauvaises intentions.
À cœur honnête, regard brillant.
À cœur mal intentionné, regard terne et vide.
Sache écouter l'homme et observe ses yeux,
Tu verras son véritable caractère.

MENCIUS

Timbre carré du haut : Kwong Kuen Shan | Timbre carré du bas : « Pour toujours »
Timbre circulaire : « Ne vous querellez pas pour une question de gain ou de perte »

30. PETIT CHAT

La brise apporte la fraîcheur,
La lune apporte l'éclat.
Lorsque je suis actif,
Je regarde couler le fleuve.
Lorsque je suis pensif,
En mal de solitude,
Alors je me tourne vers la montagne.

POÈME CHINOIS

Timbre carré : Kwong Kuen Shan

31. CONFLIT DE POUVOIR

Face à un supérieur, tu peux commettre trois erreurs.

Parler quand on ne t'y invite pas : c'est signe que tu te précipites trop.

Te taire quand il faudrait parler : c'est signe que tu caches quelque chose.

Parler sans prendre garde en premier aux expressions de son visage : c'est signe que tu es aveugle !

CONFUCIUS

32. AVERTISSEMENT

La vie et la mort sont un cycle inévitable,
Un rythme aussi naturel que le jour et la nuit.
Quand vient la vie, tu ne peux résister,
Quand elle s'achève, tu ne peux t'opposer à sa fin.

TCHONG TSEU

33. Bethan

J'observe trois principes qui sont chers à mon cœur.
Le premier est la bonté.
Le deuxième, la frugalité.
Le troisième, la modestie.
Parce que je suis bon, j'ai du courage.
Parce que je suis frugal, je peux être généreux.
Parce que je suis modeste, je peux être un guide.
Mais les gens, ces temps-ci, délaissent la bonté
Pour de pures bravades,
La frugalité pour des extravagances,
La modestie pour un pouvoir dominateur.
Tout cela n'aboutit qu'à des désastres.

Tao-Tö-King

34. PETITS AMIS

Le Ciel et la Terre traitent équitablement toutes les créatures.
Si tu occupes de hautes fonctions, ne te crois pas supérieur au
reste du monde.
Si tu occupes des fonctions subalternes, ne te crois pas inférieur
au reste du monde.

TCHONG TSEU

一見如故

娟珊

35. LE SECRET

Quand deux personnes s'entendent bien, les paroles échangées
sont douces et positives.
Quand deux personnes s'entendent mal, chaque mot est acerbe
et provocateur.

TCHONG TSEU

36. UN CAMOUFLAGE PARFAIT

Ne cherche pas querelle au monde entier pour des questions de gain ou de perte.

Ne laisse pas les futilités de la vie décider des hauts et des bas de ton existence.

MAXIMES CHINOISES

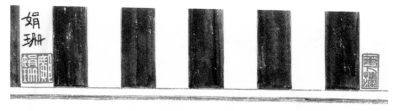

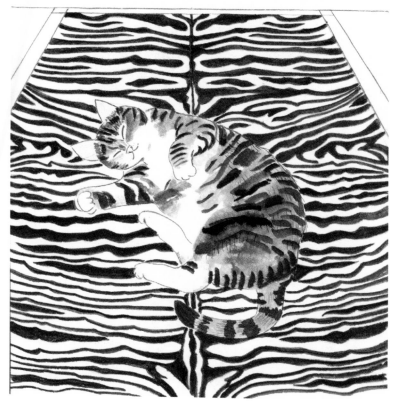

37. JE CHEMINE EN SOLITAIRE

Le guerrier courageux n'est pas intimidant.
Le grand combattant ne se laisse pas aisément provoquer.
Le gagnant n'est pas vindicatif.
Le bon supérieur est modeste.
Telle est la vertu de non-rivalité,
Qui révèle en chacun le meilleur
Et s'accorde aux lois de la nature.

TAO-TÖ-KING

38. MA ROSERAIE

Ne laisse pas la tentation t'aveugler.
Ne laisse pas les clameurs du dehors t'assourdir.
Ne laisse pas les soucis alourdir ton esprit et ton cœur.
Veille sur tes sens et sur ton énergie
Et ils veilleront sur ton corps et ton âme.

TCHONG TSEU

Timbre carré : Kwong Kuen Shan | Timbre rond : Le Qi, l'énergie vitale | Petit timbre rond : La vision lucide

39. SOUVENIRS

Lorsqu'on construit une maison, le site choisi compte.
Lorsqu'on réfléchit, la profondeur de pensée compte.
Dans la relation aux autres, bonté et générosité comptent.
Dans les paroles échangées, l'honnêteté compte.
Dans les rapports d'autorité, la justice compte.
Dans le travail, le savoir-faire compte.
Dans les décisions, l'instant opportun compte.
Si tu n'es en rivalité avec personne,
Il importe peu de gagner ou de perdre.

TAO-TÖ-KING

莫总戒

损珊

40. MARCHER TÊTE HAUTE

Quand le vent tombe, le bambou fait silence.
Quand les oies prennent leur envol,
On perd trace même de leur ombre.
Quand un événement se présente,
Affronte-le de ton mieux.
Quand il prend fin, lâche prise, reste calme.
Ne te perds pas en interrogations
Sur ce que le passé aurait pu être ou non.

ENSEIGNEMENT BOUDDHIQUE

À PROPOS DE TIMBRES ET DE SCEAUX

Les timbres figurant dans les tableaux chinois sont imprimés à l'aide de sceaux de jade ou de tampons de bois dans lesquels sont gravés des caractères chinois. On les trempe dans une pâte de cinabre, puis on les applique à l'endroit choisi dans le tableau afin de reproduire ces caractères.

Les caractères de l'écriture chinoise se présentent sous diverses formes, dont certaines remontent à des millénaires. J'ai utilisé dans cet ouvrage une variété de timbres correspondant à plusieurs formes d'écriture, plusieurs styles de sceaux, gravés dans divers types de pierres.

Il existe deux principaux types de timbres. L'un fait office de signature et porte le nom du peintre. L'autre exprime, grâce aux caractères chinois, soit un état d'âme, soit l'atmosphère d'un moment de réflexion philosophique, soit l'expression des sentiments ou de l'inspiration du peintre.

ÉCHANTILLONS DE TIMBRES ET DE SCEAUX

Je suis l'auteur de ce dessin

Le Qi, l'énergie vitale

« Pour toujours »

« Les choses passent mais ne disparaissent jamais »

« Ne vous mettez pas en colère »

« Soyez sans regrets »

« La vie n'est qu'un rêve »

ÉCHANTILLONS DE TIMBRES ET DE SCEAUX

Kwong Kuen Shan

« Ne vous querellez pas pour des questions de gain
ou de perte »

« Le pinceau exprime mes sentiments »

« Selon le désir de mon cœur »

Le Ciel et la Terre

Le destin tracé d'avance

Le descendant du dragon

REMERCIEMENTS

J'adresse mes remerciements les plus sincères :

Aux chats de ma vie : Healey, Joseph et son frère Rocco, qui quitta définitivement la maison à l'âge de deux ans.

Aux chats dont j'ai fait la connaissance : Angus, Homer, Nimble, Peppy, Samarui, Félix, Benson, Bijou, Saffron, Monty, Roste, Léo, Little Cat, Joshua, Coco, Lily, Colin, Oscar et Miraculous Mousens.

À tous ceux qui m'ont donné la permission de dessiner leurs chats pour ce livre.

À mes amis amoureux des chats, et particulièrement Ingrid Pieters et Ruth Field. Je les remercie pour tous les éclats de rire et les histoires de chats que nous avons partagés, pour les larmes également partagées dans les moments difficiles ; merci pour ce soutien chaleureux. Ces chats et leur entourage m'ont considérablement appris. De telles rencontres ont énormément enrichi ma vie.

Merci enfin à Christophe, mon mari, dont les compétences techniques, dans la période précédant la publication de ce livre, m'ont permis de consacrer tout mon temps et tous mes efforts à mon travail de peintre. Merci aussi pour sa patience et son agilité à ôter de ma vue le corps des trophées (morts ou vifs...) rapportés à la maison par nos matous. Il m'a ainsi évité quelques crises cardiaques...

Composé par Nord Compo
à Villeneuve-d'Ascq (Nord)

Imprimé en France par Loire Offset Titoulet
à Saint-Etienne - Loire
en décembre 2012

POCKET – 12, avenue d'Italie – 75627 Paris Cedex 13

N° d'impression : 201212.3675
Dépôt légal : novembre 2012
Suite du premier tirage : janvier 2013
S22209/03